DER DACHZIEGEL

DIE SCHWALBENRAST

DIE HASEN

DAS KALB

DIE ENTE

DER SCHÜLER

DER SCHULBUS

DER BRIEFTRÄGER

DER HOFHUND

DER SCHORNSTEIN

DAS KEHREN

DAS SEILHÜPFEN

DIE MAGD

DIE WEISSE TAU

DIE GÄNSE

DER EINKAUF

DIE SCHWEINEHIRTIN

DIE WEISSE TAUBE

DAS HUHN

DER BAUER

DIE MISTGABEL

DIE REIFEN

DER ZAUN

DIE KLEINEN GÄNSE

DIE GEMÜSEKISTE

DIE OBSTSTEIGE

DIE PUMPE

DAS HÜHNERFUTTER

DIE LEITKUH

DER TRUTHAHN

DER TRAKTOR

DAS EINMACHGLAS

DIE HEUERNTE

DAS SALZ

DIE KÜCHENROLLE

DER WASSERHAHN

DAS MARMELADEGLAS

DAS KÄSTCHEN

DIE PENDELUHR

DAS KOMPOTT

DAS THERMOMETER

DIE ÄPFEL

DAS SPÜLMITTEL

DER TOPF

DER HANDBESEN

DIE SCHAUFEL

ER GELIERZUCKER

DER TOPF

DIE SOMMERBLUMEN

DAS
SONNENZELT

DER
BLUMENSTRAUSS

DER KORB

DIE KATZE

DAS
SCHNEIDEBRETT

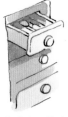

DIE SCHUBLADE

DIE TELLER

DAS BROT

DIE KAFFEEMÜHLE

DIE BRÖTCHEN

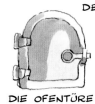

DER FLASCHENHALS

DIE OFENTÜRE

DER KALENDER

DER SCHMETTERLING

DER HIRTENHUND

DAS KARTOFFELFEUER

DER TRAKTOR

DAS SCHAF

DIE KARTOF

DER LANDARBEITER

DIE BIRNENDIEBE

DER HIRTE

DIE OBSTKISTE

DER APFELPFLÜCKER

DIE ERNTEHELFERIN

DIE SPATZEN

DER STROHBALLEN

DER SINGVOGEL

DAS LAMM

DAS GETR

DAS FALLOBST   DIE BRUNNENPUMPE   DIE WIDDER   DIE KINDER

DIE TAUBE

DER ANSTREICHER

DER ERNTEHELFER

DAS PRÜFEN

DIE TÜRE

DIE TAUBE

DAS LOCH

DER STEG   DER ANHÄNGER

DIE SÄCKE   DER SCHMETTERLING   DER TRAKTOR   DIE KARRE

DIE MARTINSGANS

DAS HUHN

DIE TAUBE

DER DACHFIRST

DER EIM...

DIE AXT

DER PILZ

DER KÜRBISKOPF

DER GEFLÜGELHÄNDLER

DER FENSTERLADEN

DER PILZSAMMLER

DIE PAUSE

DIE BÄUERIN

DIE SCHWALBE

DAS SCHWEIN

DER RECHEN

DIE KATZE

DIE KÜRBISSE

DIE TAUBE

DER SCHMETTERLING

DIE SÄGE

DER KNECHT

DAS FÖRDERBAND

DIE KUH

DAS KÜRBISGESICHT

DER KAMINFEGER

DER RIESENKÜRBIS

HENNE

DIE SCHNEESCHAUFEL

DIE MILCHKUH

DIE LEITER

DER PINSEL

EIN SPANNENDES BUCH

EIMER

PICKNICKKORB

BADEANZUG

BADETUCH

WEGWEISER

SPIELZEUGBOOT

FISCH

KNOCHEN

KLEIN LISA

EICHHÖRNCHEN

SPRINGSEIL

FISCH IM GURKENGLAS

LISAS TEDDYBÄR

HUND

EUSENWÄRTER

SCHWIMMREIFEN

BEGRENZUNGSBOJE

MARIENKÄFER

KELLNER

WANDERER

PFLOCK

ARBEITER

LUFTBALLON

VOGELBABIES

TAU

SCHMETTERLING   KATZE

ERPEL

FOXTERRIER

BUGGY

KOMMANDOBRÜCKE

RETTER

RETTUNGSRING

AN DER LEINE

MÖWEN

BELLEN

TÜRE

ANGLER

REVIER MARKIEREN

HAUSMEISTER

KAMIN

SCHUTZPLANE

FENSTER

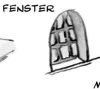

MOTORBOOT

STEUERRUDER

MARKTHELFER

BLUMEN

RADAUSFLUG

PFARRER

SCHRANKE

FISCHHÄNDLER

BRÜCKENWÄRTER

FREMDENFÜHRERIN

FRECHE
SPATZEN

FENSTERLADEN

MÜLLBEHÄLTER

KATER

SCHOTTE AUF
URLAUB

WIR MÖGEN UNS

AUF DEM FISCHMARKT

MUSIKANT

KRÄNE

SCHMUCK

FRÖHLICHE AUSFAHRT

PUTZEIMER

ZUSCHAUER

KÜNSTLER

ANSICHTSKARTEN

WETTFAHRT

NACH DEM EINKAUF

LITFASSSÄULE

FLAGGEN

IM GESPRÄCH

NEUIGKEITEN

WO SIND WIR?

BEIBOOT

NGRIGE MÖWE

SCHWERE FRACHT

MARKISE

LOTSENBOOT

SCHNÜFFLER

LATERNE

FÜTTERN

BESEN

FENSTER

FEUERLÖSCHER

GUT INFORMIERT

POLLER

UMWELTFREUNDLICH UNTERWEGS

KINDERWAGEN

FENSTERPUTZER

 MÜLLABFUHR

 BETTEN MACHEN

 GUTEN MORGEN

 FUSSGÄNGERIN

 PAPA MIT AKTENTASCHE

 OBSTHÄNDLER

 U-BAHN STATION

MORGENZEITUNG

 MOTORRAD

 DUSCHEN

FEUCHTE WÄSCHE

CHIRURG

KRANKENSCHWESTER

 FAHRRADBOTE

LANGSCHLÄFER

 MORGENTOILETTE

SITZUNG

KANALARBEITEN

WECKERKLINGELN

STRASSENBAHN

FRÜHSPORT

UHR

AUTO

VERKEHRSAMPEL

MORGENSPAZIERGANG  OBSTKARREN

SCHLAFENDER KÜNSTLER

FAMILIENFRÜHSTÜCK

SPRITZE

IN DER
SANDKISTE

ZUM KINDERGARTEN

SPIELAUTO

HALLO

MAMAS AUTO

BÄUMCHEN

BASKETBALLKORB

SCHÜLERLOTSE

SCHULRANZEN

KINDERGARTEN

KINDERGARTENGRUPPE

MOTORRADFAHRER

HÖCHSTE ZEIT!

SCHULANFÄNGER

RUTSC.

A MIT BABY

BUGGY

FREUNDINNEN

SCHULUHR

ZU SPÄT?

ZUR KRABBELSTUBE

KLETTERTURM

AUF ALLEN VIEREN

LEHRER

HAUSMEISTER

SCHÜLER

SPORT

SCHAUKEL

BANK

HAUSAUFGABEN

MALEN

LÄTZCHEN

KASTANIENTIER

HAUSSCHUH

FLÄSCHCHEN

SPIELEN

PUPPENHERD

KASTANIENKETTE

SCHACHTEL

BASTELMATERIAL

MALKASTEN

STOFFTIER

KORB

PLÜSCHH

DECKEL

KISSEN

TOPF

LOK

BAUEN

BAUKLÖTZE

HAUS

SIGNAL

PINSEL

WASSERGLAS

KIND

BILDERBUCH

PUZZLETEIL

SCHERE

JACKE

TEDDYBÄR

SONNENBAD

RUHEPAUSE

HALLO BABY

AM SCHWIMMBECKEN

BADESPASS

ENTSPANNUNG

FEDERBALL

VOGEL

CLOWN

KAPITÄN

ROLLER

ANGLER

BADETIER

MUSIK HÖREN

EIS IN DER T

BAUM

FAMILIE

UNSERE OMA

AUF DER LIEGEWIESE

SANDKISTE

DENKMAL

BLUMENTOPF

WINKEN

SAUBERE STADT

SCHMETTERLING

ABTROCKNEN

HUND

BLÜHENDER STRAUCH

RUDERN

SCHWIMMREIFEN

LIEGESTUHL

ROLLSTUHLFAHRER

EINGANG

TAUBE

SPEDITION

WARTEZEIT

FAHRGÄSTE

TÜRMCHEN

TELEFON

SANITÄTER

FENSTER

SKELETT

NEUGIERIGE

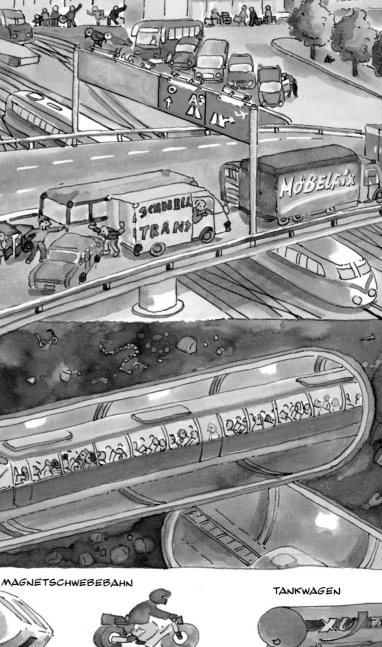

SCHATZTRUHE

MAGNETSCHWEBEBAHN

RUDI RASER

TANKWAGEN

FEIERABEND

EISENBAHN

FOTOGRAF

LINDE

SKULPTUR

POLIZIST

GLASFRONT

NACH DEM EINKAUF

BAHNHOFSUHR

NEUERÖFFNUNG KINO WASCHFIX

XU TANK

BAHNHOFSPLATZ

U-BAHN

FEUERWEHRMANN

DACH

TÄUBERICH

BAULEITER

ROHRTRANSPORT

RÜTTELPLATTE

ROHRE

SCHLAU

TANKWAGEN

FUNKGERÄT

EINWEISEN

KRANFÜHRER

SENDEMAST

FLUGPASSAGIER

BETONMISCHER

STAHLTRÄGER

PAUSE

FLUGZEUGHAL

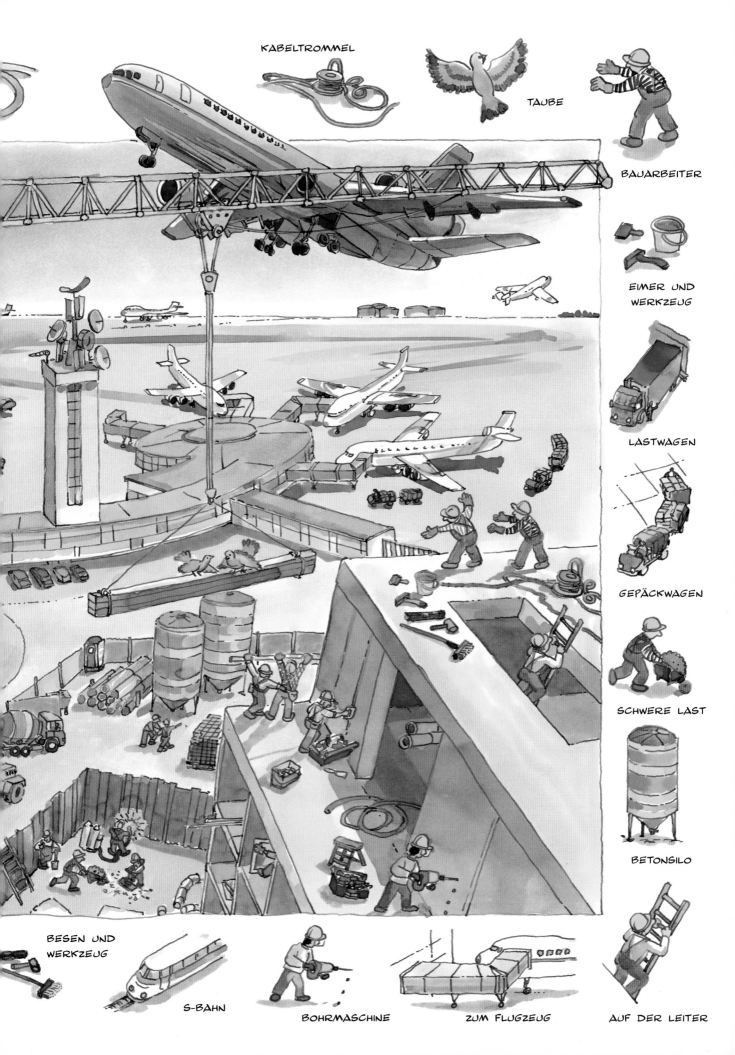

KABELTROMMEL

TAUBE

BAUARBEITER

EIMER UND WERKZEUG

LASTWAGEN

GEPÄCKWAGEN

SCHWERE LAST

BETONSILO

BESEN UND WERKZEUG

S-BAHN

BOHRMASCHINE

ZUM FLUGZEUG

AUF DER LEITER

FERNGLAS

MÜTZE

FELSEN

MASKOTTCHEN

VERLADEKRAN

HALLO PAPA!

PASSAGIER

FAHNE

HAFENCAFÉ

MATROSEN

BAUM

BAROMETER

AUTO

LIEBLINGSBÄR

FAHRTENSCHREIBER

LEUCHTE

SIGNALLAMPEN

SPAZIERGÄNGER

POLLER

KARUSSELL

IM YACHTHAFEN

UNTER PALMEN

LEUCHTFEUER

STEUERRAD

SCHIFFSTELEFON

PITÄNSMÜTZE

MIKROFON

PFEIFE

LEUCHTKNOPF

SCHIFF

PARAGLEITER

TEMPEL

SANDBURG

KOPFSPRUNG

KEIN FREIER PLATZ?

HEISSLUFTBALLON

HÄUSCHEN

SPORT

KIEL

BADETIER

HOCKER

WELLE

STRANDTASCHE

FRACHTER

EIS

RETTUNGSSCHWIMMER

SELBST GEBASTELT?

FISCH GEFANGEN!

ACHTUNG, FERTIG, LOS!

ENTSPANNUNG

STRANDKORB

SEGELBOOT

SAUBERER STRAND

LEUCHTTURM

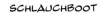

SCHLAUCHBOOT

SCHNELLBOOT

RETTUNGSRING

BALLON

HAU BLOSS AB!

PFAU

ZIEGE

FUTTERKRIPPE

HASE

ESELREITEN

SCHAUKELTIER

BÄUMCHEN

TAUBE

ZU DEINER SICHERHEIT

VERLIEBTES PAAR

KATZE

HUHN

KÜKEN

ENTE

STREICHELZOO

STREICHELZOO

SCHAF

ESEL

TAUBENSCHLAG

MELKEN

STORCH

FILMEN

STORCHENNEST

KELLE

EICHHÖRNCHEN

ZOO BAR

KÄLBCHEN

HECKE

AUF DEM KARUSSELLTIGER

GETRÄNK

HÄNDEWASCHEN

START und ZIEL

FÜR DIESES WÜRFELSPIEL BRAUCHST DU EINEN WÜRFEL, MINDESTENS EINEN MITSPIELER UND FÜR JEDEN MITSPIELER EINEN SPIELSTEIN. GEWÜRFELT WIRD REIHUM IM UHRZEIGERSINN. UM ZU STARTEN, MUSS EINE 6 GEWÜRFELT WERDEN. DAS ZIEL MUSS GENAU ERREICHT WERDEN. VIEL SPASS!

1. BESUCHE DIE GRÖSSTEN TIERE IM ZOO. ZÄHLE MINDESTENS 4 TIERE AUF! EIN BESUCH BEI DIESEN TIEREN BRAUCHT ZEIT, DAHER MUSST DU EINE RUNDE AUSSETZEN.

2. VON DER BRÜCKE SIEHT MAN GUT AUF DIE ELEFANTEN. BILDE MIT DEINEN ARMEN EINEN ELEFANTENRÜSSEL UND TROMPETE LAUT. DEINE MITSPIELER MACHEN ES DIR NACH.

3. SCHNELL ZU DEN GIRAFFEN! DREI FELDER VORRÜCKEN.

4. KENNST DU EIN TIER, DAS AUF DEM BODEN KRIECHT? STELLE ES DAR UND LASSE DEINE MITSPIELER RATEN. FÄLLT DIR KEIN TIER EIN, SETZE EINE RUNDE AUS.

5. DU BIST VOM VIELEN GEHEN MÜDE. VOR DEM ZEBRAGEHEGE IST EINE BANK. DU RUHST DICH AUS UND STÄRKST DICH MIT BROTEN UND SAFT. EINE RUNDE AUSSETZEN.

6. DIE EULE SCHLÄFT TAGSÜBER. DU WILLST SIE NICHT STÖREN. GEHE 2 FELDER VOR.

7. DU HAST DEINEN RUCKSACK BEI DEN ZEBRAS VERGESSEN. GEHE 4 FELDER ZURÜCK.

8. SCHAUT EUCH DIE FLAMINGOS AN UND STEHT WIE SIE AUF EINEM BEIN. DERJENIGE, DER ES AM LÄNG-STEN AUSHÄLT, DARF ALS NÄCHSTER WÜRFELN.

9. DU TRIFFST ALLE DEINE FREUNDE. ALLE MITSPIELER STELLEN IHREN SPIELSTEIN AUF DEIN FELD.

10. IM TUNNEL IST ES DUNKEL. SCHLIESSE DEINE AUGEN UND VER-SUCHE, DEINE NASENSPITZE ZU TREF-FEN. TRIFFST DU SIE NICHT, GEHE 3 FELDER ZURÜCK.

11. BRÜLLE UND GÄHNE DREI MAL WIE EIN LÖWE!

12. HÜPFE WIE EIN KÄNGURU UM ALLE MITSPIELER HERUM!

13. STELLE DEIN LIEBLINGSTIER OHNE WORTE UND GERÄUSCHE DAR! ERRATEN DEINE MITSPIELER NICHT, WELCHES TIER DU MEINST, SETZE EINE RUNDE AUS.

14. DIE EISBÄREN WERDEN GERADE GEFÜTTERT. DA MUSST DU DABEI SEIN UND LEIDER EINE RUNDE AUS-SETZEN.

15. SUCHE DIR EINEN MITSPIELER AUS UND BILDE MIT IHM EINE BRÜCKE. DAZU MUSS ER MIT SEINEM SPIELSTEIN AUF DEIN FELD KOMMEN UND KANN VON DORT AUS WEITER-SPIELEN.

16. GLEICH BIST DU AM ZIEL! GEHE 2 FELDER VOR.

KAMEL

ELEFANT

GRÜNSPECHT

FOTOGRAF

NASHORN

TIERARZT

ARZTKOFFER

BACHSTELZE

INFORMATIONS-
TAFEL

ZEBRA

LATERNE

LÖWE

FUTTERSPENDER

RUCKSACK

LOKOMOTIVE

VOGELTRÄNK

TIERPFLEGER

FLIEGENDE KARTEN

UNTERSTAND

ZOO-RUNDFAHRT

FLAMINGO

UND WOHIN JETZT?

LÖWIN

GIRAFFE

BRAUNBÄR

PALMENHAUS

ORANGE

KASPER

FRAU STRAUSS

MAUS

MISTGABEL

EIMER

SKATEBOARD

GEPARD

KONTROLLFAHRT

SCHIMPANSE

SPIELAUTO

SCHAUKEL

BALL

LUFTBALLON

BRILLE

AUFGEWACHT!

SAUBERER ZOO

ADLER

AFFENBADEWANN

TIGER

BANANE

SCHMETTERLING

LÖWENFUTTER

SCHNECKE

EIS

EISVERKÄUFERIN

AFFENSCHAUKEL

TUKAN

ROLLSTUHL

RASSEL

KÄFER

KONDOR

BUCH

LÖWENBABY

ZAUN

BEUTE

LAGEPLAN

FÜTTERUNG

NADELBAUM

WASSERFALL

TRETROLLER

ZOOBESUCHERIN

SEELÖWENWEIBCHEN

FISCHMAHLZEIT

PINGUINE

FISCH

POPCORN

HASE

AUF FISCHFANG

FUTTERKRIPPE

EISBÄR

MÜLLTONNE

WANDERER

WEGWEISER

SPECHT

KINDERWAGEN

FUTTERTRANSPORT

GRÄTE

WILDSCHWEIN

SCHLAUCH

WALROSS

TAUCHER

HAIFISCHFLOSSE

AKTENTASCHE

GUTER FANG

HINWEISSCH

AUSGAN

IST DER GROSS!

HALSTUCH

SCHMETTERLING

SCHILF

PFADFINDER

RIESENSCHILDKRÖTE

KRAKE

SEEROSE

VIDEOKAMER

HAIFISCH

TAUCHERBRILLE

ROCHEN

SCHWANZMEISE

SCHAU MAL!

LOLLY

FLOSSE

BÜRSTE

ELSTER

ZUM WC

WASSERPFLANZEN

WASSERSCHILDKRÖTE

KROKODIL

AUSGANG

SPATZ

SCHUHBAND

EULE

KANALGITTER

BAUM
MIT STÜTZE

STRASSENLAMPE

UMHÄNGETASCHE

MÜLLEIMER

SCHWAN

DACHBODENFENSTER

HAUSNUMMER

BUSCH

VERBOTSSCHILD

BROT

KAUFSTASCHE

FENSTER

VORDACH

LAMPION

KIND

VERKEHRSZEICHEN

GARTENZWERG

EINGANGSTÜR

ERPEL

HUT

LATERNE

SCHLÜSSELANHÄNGER

NHAUS

DER WEGWEISER

DER SCHNEEMANN

DER HUND

DIE HELFER

DIE TAUBE

DIE SCHNEEBALLSCHLA

DAS FUTTERHÄUSCHEN

DER TANNENBAUM

DIE ABFAHRT

DAS SNOWBOARD

DIE EISLÄUFERIN

DER STROHBESEN

DER SCHNEEBALL

DER STURZ

DIE SCHLITTENFAHRT

DIE HUNGRIGEN VÖGEL

EISPRINZESSIN

DIE SCHNEESCHAUFEL

DER BAUMSCHUTZ

DER SCHLITTEN

DIE FRIERENDEN VÖGEL

DIE TAUBE

DER JÄGER

DER BESUCH

DIE WINTERARBEIT

DER SCHRECK

DER AUFPASSER

DIE FREUDE

DER SOHN

CHRISTBAUMKÄUFER

DER AUTOLENKER

DER BIENENSTOCK

DIE TAUBE

DER VATER

WEIHNACHTSBAUM

KIRCHTURM

LAMPION

HAUSTÜR

KANDIERTER APFEL

EISENBAHN

APFELKORB

SCH.

GIRLANDE

MÜTZE

WETTERFA

TROMPETE

ZUCKERSTANGE

BREZEL

KRIPPE

BAUMSCHMUCK

SPIELUHR

KASPERLFIGUR

FENSTER

PUNSCH

MARONEN

ESEL

HUND

KATZE

GLOCKEN

MISTELZWEIG

STERN

ADVENTSKRANZ

SALZSTREUER

SIEB

KAFFEEMÜHLE

GIRLANDE

KALENDER

BÜCHER

KLEBSTOFF

NUDELHOLZ

ÄPFEL

OPFDECKEL

KIRSCHEN

KEKS

HOLZSCHEITE

STRICKZEUG

SCHNEEMANN

PANTOFFEL

GESCHIRRTUCH

BESTECK

KANNE

SCHERE

ENGEL

AUSSTECHFORM

OFENTÜR

PINSEL

TEDDYBÄR

MONITOR

FEUERWERK

FISCHFUTTER

HAUSSCHUHE

ZIERFISCH

TRINKGLAS

TISCHLAMPE

ORDNER

ZUSCHAUER

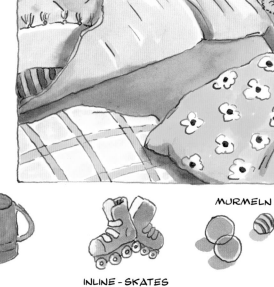

GIESSKANNE

INLINE - SKATES

MURMELN

GEWÄCHSHAUS

BALL

FISC

WECKER

STIFTE

KOPFKISSEN

SCHREIBTISCHLAMPE

RECHNER

KATZEN

HOCHHAUS

KIRCHTURM

MOND

FLUGZEUG

BUCH

APFEL

PLÜSCHTIER

Buckeye Butterfly — North America

Ornithoptera Paradisea Butterfly — New Guinea

Purple-spotted Swallowtail Butterfly – New Guinea

Thecla Coronata Butterfly — Equator

Emperor Blue Morpho Butterfly — South & Central America

Polyphemus Moth — North America

Faithful Beauty Moth – North America

Faithful Beauty Moth — North America

Indian Luna Moth — India

Spanish Moon Moth — Spain

Spanish Moon Moth — Spain

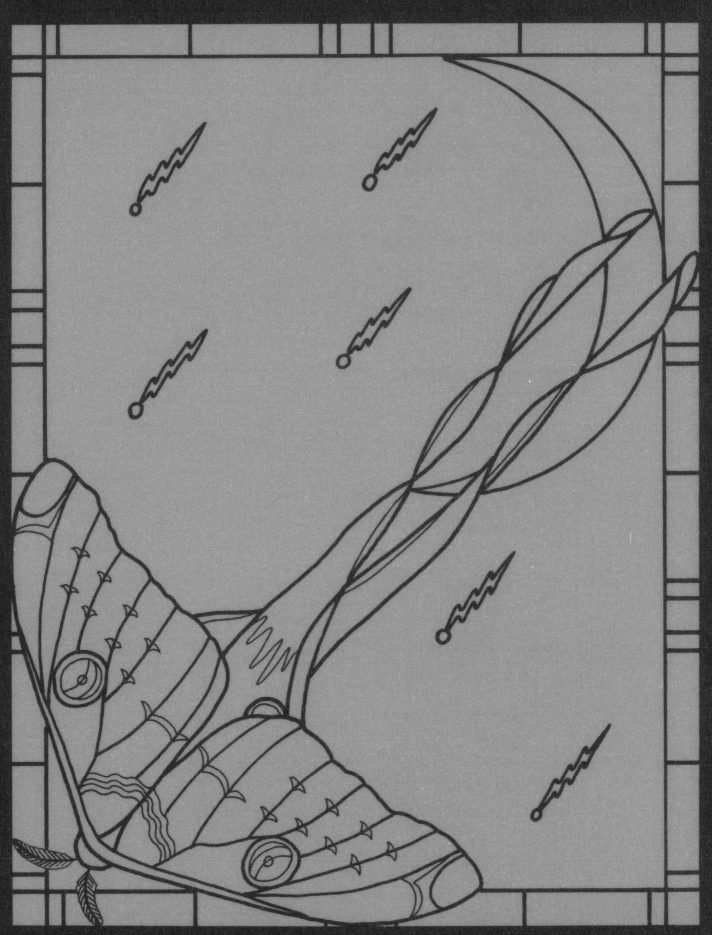

Comet Moth — Madagascar

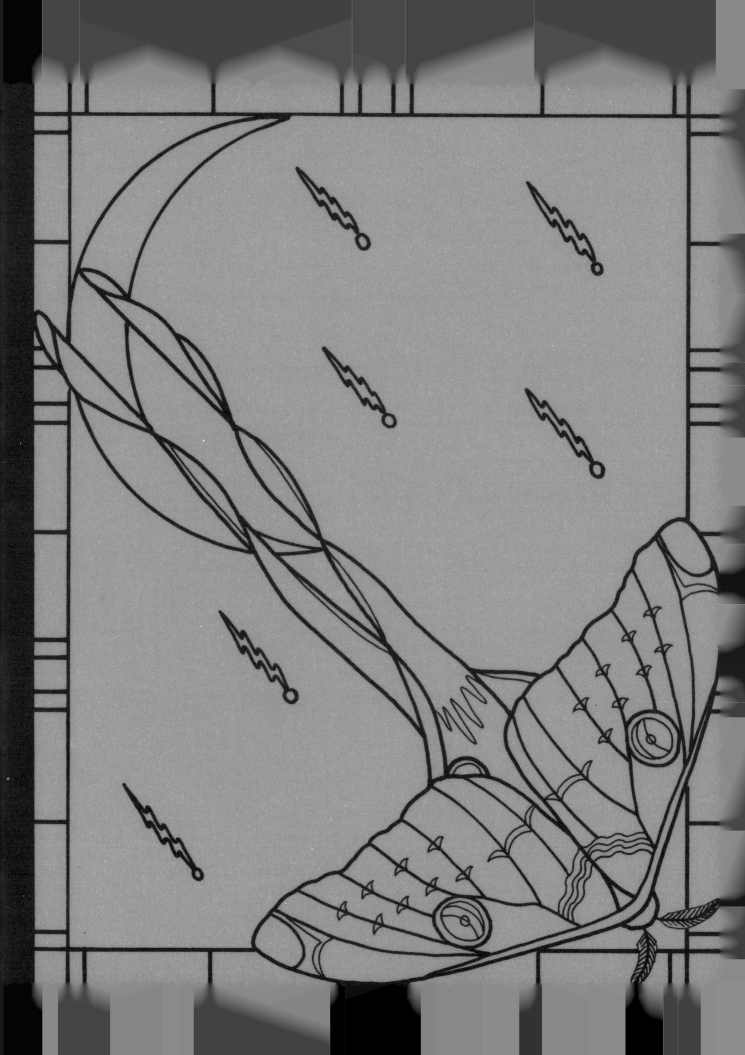